Bleddyn
a'r Sgriwdreifer

Taffy Davies

Addasiad Cymraeg
Linda Lockley

CYHOEDDIADAU'R
GAIR

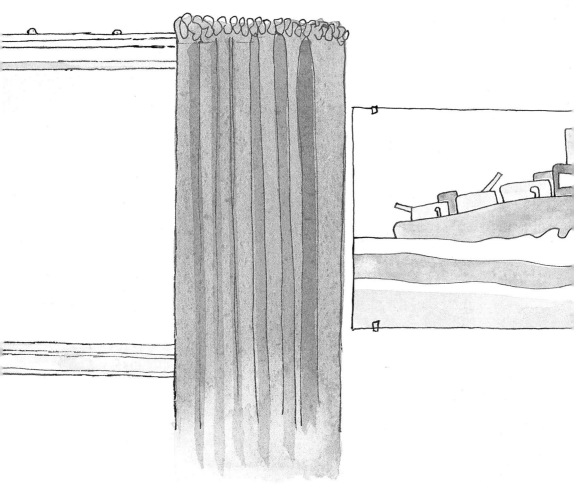

Roedd Bleddyn yn dipyn o boen. Ond fedrech chi ddim llai na'i hoffi e, achos doedd bywyd byth yn ddiflas pan fyddai e o gwmpas.

Un diwrnod fe ddaeth o hyd i hen sgriwdreifer ac aeth ati i arbrofi. Yn gyntaf fe dynnodd y sgriw fechan o'i naddwr pensiliau, dim ond er mwyn gweld sut roedd yn gweithio. Fe gwympodd y naddwr yn ddarnau. 'Twt lol,' meddai Bleddyn, 'fe rodda i e'n ôl at ei gilydd yfory.'

Yna fe dynnodd y sgriws allan o'r pethau eraill oedd ganddo yn ei ystafell, dim ond er mwyn gweld sut roedden nhw'n gweithio. Fe gwympon nhw i gyd yn ddarnau mân. 'Twt lol,' meddai Bleddyn, 'fe rodda i nhw i gyd nôl at ei gilydd yfory.'

Yna aeth i lawr y grisiau a thynnodd bob un sgriw allan o'r teleffon. Fe gwympodd yn ddarnau mân. ' Twt lol,' meddai Bleddyn, 'fe rodda i e'n ôl at ei gilydd yfory.'

Cyn pen dim roedd Bleddyn wedi tynnu'r sgriws allan o'r peiriant golchi, y teledu, yr oergell, y tostiwr, y *stereo*, y ffwrn, ei feic, yr haearn smwddio, y radio, camera ei dad a chant a mil o bethau eraill.

'Twt lol,' meddai Bleddyn, gan edrych ar yr holl ddarnau mân, 'fe rodda i nhw i gyd 'nôl at ei gilydd yfory.'

'I FFWRDD Â THI I'R GWELY !!!!!' rhuodd tad Bleddyn pan ddaeth adref o'r gwaith a gweld y fath lanast. Roedd e'n gynddeiriog; roedd rhywun wedi tynnu'r sgriws allan o ddrws y ffrynt hyd yn oed. Roedd hwnnw wedi syrthio ar ei ben wrth iddo geisio ei agor.

Ond fedrai Bleddyn ddim cysgu'r noson honno. Sleifiodd i lawr y grisiau a dechrau tynnu ychydig mwy o sgriws yn rhydd.
Fe dynnodd bob sgriw allan o gar ei dad. Fe gwympodd hwnnw'n ddarnau mân!

Yna fe dynnodd bob un sgriw allan o waliau'r garej. Fe gwympodd hwnnw hefyd yn yfflon rhacs.

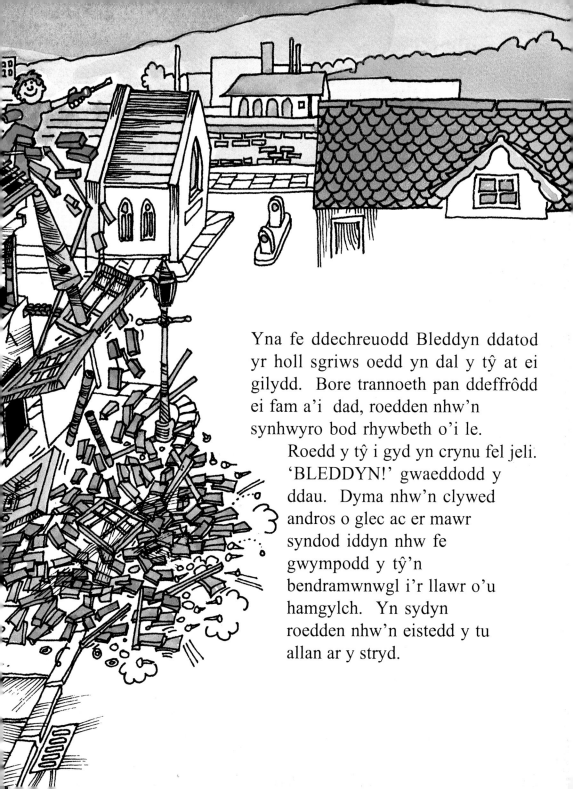

Yna fe ddechreuodd Bleddyn ddatod yr holl sgriws oedd yn dal y tŷ at ei gilydd. Bore trannoeth pan ddeffrôdd ei fam a'i dad, roedden nhw'n synhwyro bod rhywbeth o'i le.

Roedd y tŷ i gyd yn crynu fel jeli. 'BLEDDYN!' gwaeddodd y ddau. Dyma nhw'n clywed andros o glec ac er mawr syndod iddyn nhw fe gwympodd y tŷ'n bendramwnwgl i'r llawr o'u hamgylch. Yn sydyn roedden nhw'n eistedd y tu allan ar y stryd.

Daeth y cymdogion i gyd allan i weld beth oedd y rheswm dros yr holl gynnwrf. Wrth weld rhieni Bleddyn allan ar y stryd, fe ddechreuon nhw chwerthin. Ond cyn hir dyma nhw'n rhoi'r gorau iddi wrth iddyn nhw glywed clec! dwmp! a dwndwr! - roedd tai ar hyd a lled y stryd yn syrthio'n ddarnau mân o'u hamgylch. Bleddyn a'i sgriwdreifer oedd yn gyfrifol!

'Stopiwch e!' gwaeddodd pawb. 'Brysiwch, ewch i nôl yr heddlu!'

Cyn gynted ag y cyrhaeddodd yr heddlu penderfynodd pawb y byddai'n well i Bleddyn fynd i weld meddyg arbennig oedd yn byw yn Llundain. Felly cafodd ei roi yn un o geir yr heddlu ac i ffwrdd ag e ar ei daith i'r orsaf reilffordd. Clec! dwmp! ding! a dyma gar yr heddlu yn syrthio'n ddarnau mân mewn chwinciad. Roedd Bleddyn wedi tynnu pob sgriw o'i lle!

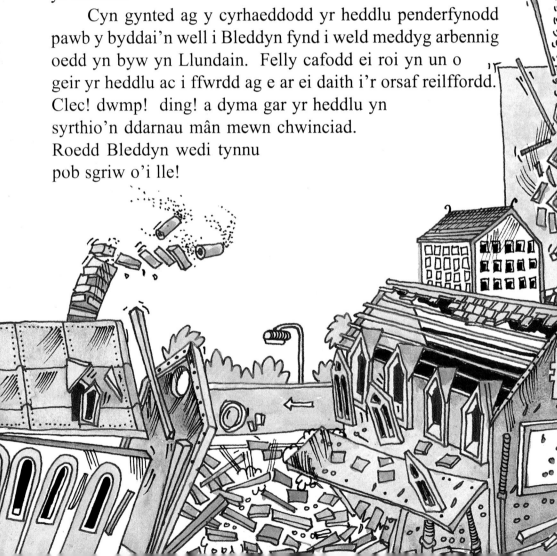

Roedd Llundain yn lle gwych ym marn Bleddyn. Roedd cymaint o sgriws i'w datod. Aeth ati i dynnu pob sgriw allan o Big Ben, Eglwys Gadeiriol Sant Pawl, Palas Buckingham, Tŵr y Swyddfa Bost, Cofgolofn Nelson, yr holl drenau tanddaearol, ac roedd ar fin cychwyn ar y bysys pan gafodd ei rwystro gan rywun.

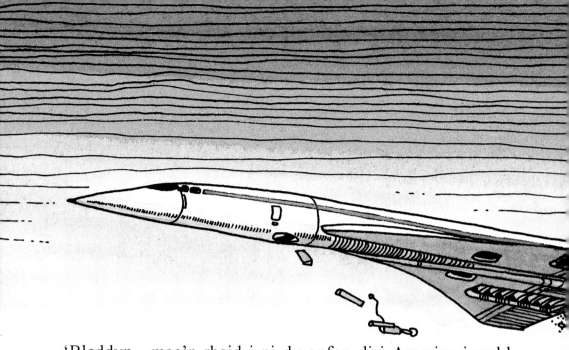

'Bleddyn, mae'n rhaid i ni dy anfon di i America i weld meddyg go arbennig,' meddai un o ddynion yr heddlu. 'Dere, mi gerdda i gyda ti i'r maes awyr.'

Pan gyrhaeddon nhw'r maes awyr, roedd cannoedd o bobl yno a phob un ohonyn nhw'n gweiddi ar Bleddyn. Cododd ei sgriwdreifer yn hamddenol a'i chwifio tuag atyn nhw!

'Anfonwch e ar awyren y Concorde!' gwaeddodd rhyw ddyn o'r dyrfa.

'Syniad ardderchog,' cytunodd pawb.

'O na, o, plîs, na!' llefodd peilot y Concorde. 'Anfonwch e mewn llong, os gwelwch yn dda.' Ond doedd dim i'w wneud; cododd yr awyren i'r awyr gyda Bleddyn yn saff ar ei bwrdd.

Erbyn iddyn nhw gyrraedd America dim ond un injan, dwy sedd ac un olwyn i lanio arni oedd ar ôl o'r Concorde. Roedd Bleddyn wedi bod yn brysur. 'Diolch am daith hyfryd,' meddai Bleddyn wrth y peilot. Nid atebodd y peilot, ond llithrodd deigryn enfawr i lawr dros ei rudd.

Roedd America yn lle rhyfeddol ym marn Bleddyn; roedd yn orlawn o bethau i'w datod. Aeth ati â'i sgriwdreifer. Adeiladau, pontydd, bysys, llongau, doedd dim byd yn ddiogel!

Roedd Bleddyn yn cael andros o amser da, tra bod America yn syrthio'n ddarnau mân!

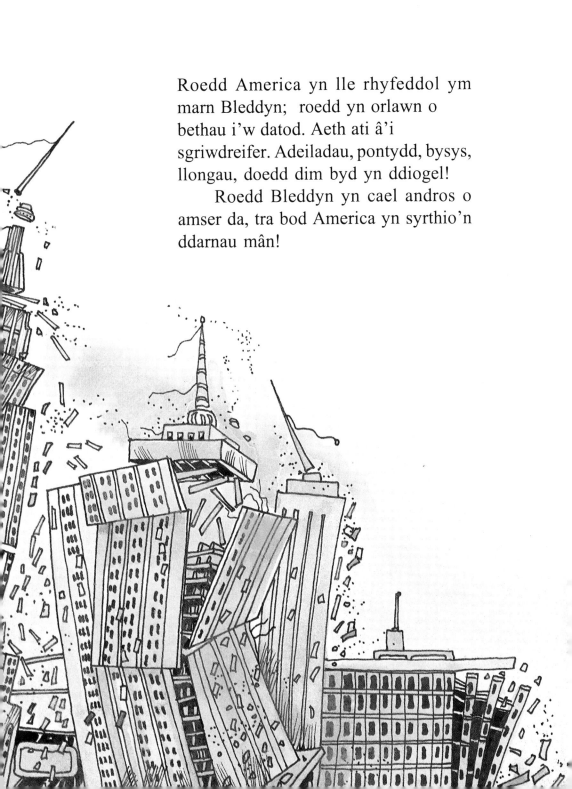

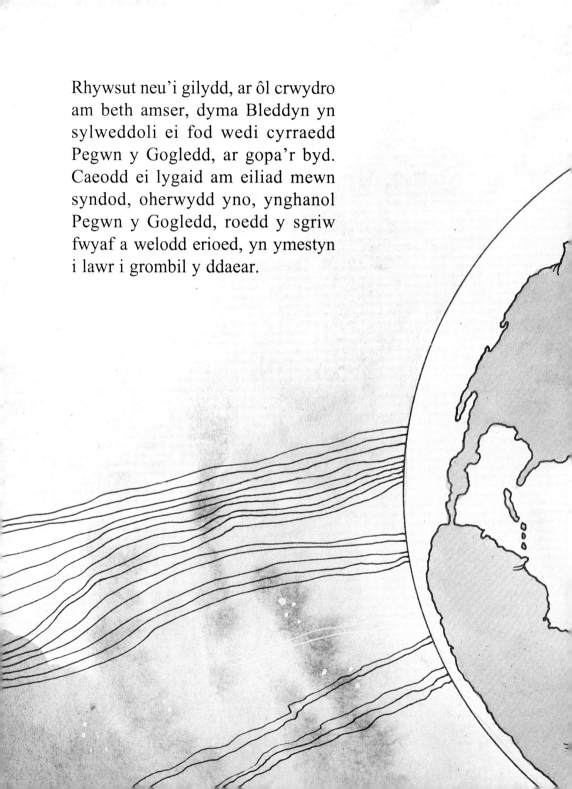

Rhywsut neu'i gilydd, ar ôl crwydro
am beth amser, dyma Bleddyn yn
sylweddoli ei fod wedi cyrraedd
Pegwn y Gogledd, ar gopa'r byd.
Caeodd ei lygaid am eiliad mewn
syndod, oherwydd yno, ynghanol
Pegwn y Gogledd, roedd y sgriw
fwyaf a welodd erioed, yn ymestyn
i lawr i grombil y ddaear.

Dechreuodd Bleddyn ddringo'r sgriw yn ofalus iawn.

'Beth yn hollol wyt ti'n feddwl wyt ti'n ei wneud?' gofynnodd Llais uchel uwch ei ben.

'Ym . . . dim ond datod y sgriw yma . . . ym . . . er mwyn darganfod sut mae'r byd yn gweithio,' meddai Bleddyn, heb fod yn rhy siŵr o ble roedd y llais yn dod.

'Pam?' atebodd y Llais.

'Ym . . . wn i ddim yn union *pam*,' meddai Bleddyn, braidd yn drist, 'achos 'mod i eisiau gwneud hynny, am wn i.'

'A beth am y llanast?' gofynnodd y Llais mawr.

'O fe wna i glirio hwnnw yfory, wrth gwrs!' dywedodd Bleddyn.

'Bleddyn,' meddai'r Llais yn gadarn, 'os gwnei di ddatod y sgriw yna, *fydd* na *ddim* yfory . . . fe fydd popeth wedi syrthio'n ddarnau mân cyn hynny. Nawr gwranda'n astud arna i! Fi yw Lluniwr y byd, ac os wyt ti eisiau gwybod sut mae pethau'n gweithio, gofyn i fi'n gyntaf.'

Trodd Bleddyn ei lygaid tua'r llawr a dechreuodd deimlo'n flin iawn drosto'i hun.

'Paid â phoeni,' meddai Lluniwr y Byd. 'Cer i dacluso'r llanast wnest ti, yna fe gawn ni sgwrs eto.'

'O'r gorau,' atebodd Bleddyn, gan deimlo rywfaint yn well.

Felly, aeth Bleddyn adref, gan osod pob sgriw yn ôl yn ei lle. Fe gymerodd gryn dipyn o amser ac erbyn diwedd y dydd roedd wedi blino'n lân. Roedd Bleddyn yn barod am y gwely.

Wrth iddo osod ei ben ar ei obennydd fe deimlodd rywbeth caled yn gwthio yn erbyn ei glust. Roedd yno un sgriw fechan ar ôl. 'O na! o ble daeth hon, wn i?' ochneidiodd.

Wn i'n wir. Wyddost ti ?

Roedd Bleddyn mor awyddus i dynnu'r byd yn ddarnau mân er mwyn gweld yn union sut roedd yn gweithio fel yr anghofiodd am yr holl broblemau roedd e yn eu creu gyda'i holl lanast. Dim ond pan gyfarfu â Lluniwr y Byd y sylweddolodd e pa mor ffôl a hunanol roedd e wedi bod.

Dim ond planed fechan iawn yw'r ddaear ac mae'n rhaid i ni i gyd ei rhannu. Mae'n hawdd iawn difetha bywyd rhywun arall wrth i ni feddwl am neb arall ond ni ein hunain. Pan oedd Iesu Grist yn byw ar y ddaear fe ddangosodd i bobl sut i garu a gofalu am ei gilydd. Mae Iesu Grist yn dal yn fyw heddiw ac am i ninnau hefyd wneud yr un peth. Yn fwy na dim, mae'r Iesu yn dangos i ni gymaint y mae Duw yn caru'r byd a greodd, a faint gostiodd hi iddo Ef ein harbed ni rhag ei ddifetha gyda'n trachwant a'n hunanoldeb.

Yn dy Feibl, darllen Ioan, pennod 3, adnod 16, sy'n sôn am gariad Duw tuag atom ni.

GWEDDI

Ein Tad Nefol,

Diolch i Ti am ein caru ni gymaint nes i Ti, drwy dy Fab, Iesu Grist, fod yn barod i farw drosom ni. Dysg i ni garu a gofalu am ein byd yn yr un ffordd ag yr wyt Ti'n ein caru ni ac yn gofalu amdanom. Er mwyn Iesu Grist, Amen.

ⓑ Taffy Davies, 1987
Cyhoeddwyd gyntaf gan Scripture Union, 130 City Road,
Llundain EC1V 2NJ, dan y teitl **Miles and the Screwdriver.**

Argraffiad Cymraeg cyntaf: 1994

ⓑ yr addasiad Cymraeg: Linda Lockley, 1994

Dymuna'r cyhoeddwyr gydnabod cymorth Adran Olygyddol y Cyngor Llyfrau Cymraeg.

ISBN 1 85994 0196

Argraffwyd ym Mhrydain.

Cyhoeddwyd gan:
Cyhoeddiadau'r Gair
Ysgol Addysg C.P.G.C.
Ffordd Deiniol
Bangor
Gwynedd LL57 2UW